MÉTHODE BOSCHER

ou La Journée des Tout Petits

mon abécédaire

Illustrations
François Garnier

ÉDITIONS BELIN
8, rue Férou 75278 Paris Cedex 06
www.editions-belin.com

ISBN 978-2-7011-3926-5

l'avion

A a

A a

A a

un âne

un arbre

une anguille

des abricots

les bonbons

B b

B b

B b

une baignoire

un balai

un bourdon

des billes

la cuisine

C c
C c
C c

des châtaignes

un canard

un clairon

des champignons

la direction

D d

D d

un dindon

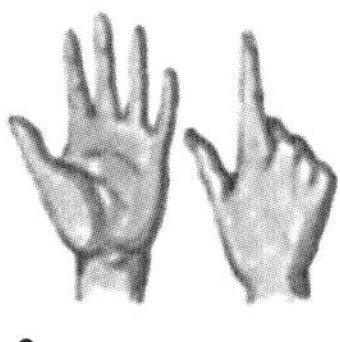

les doigts

l'école

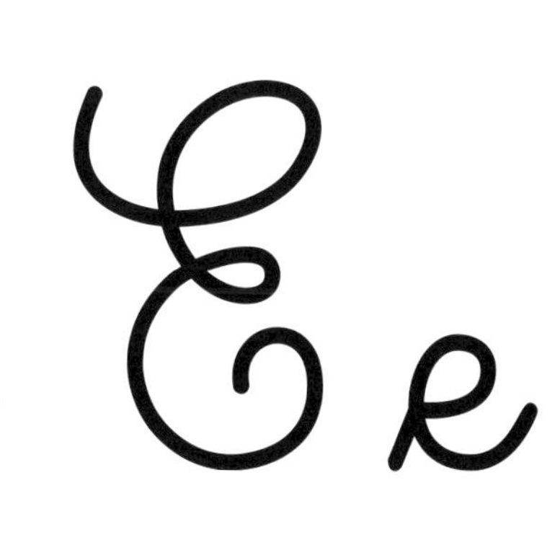

une écumoire

une enveloppe

un écureuil

des églantines

ÉCOLE
la ferme
Ff
Ff
Ff
une faucille
un frelon
une figue
des fleurs

la grêle
G g
G g
G g
une girafe
une gazelle
une grive
des giroflées

l'hiver

Hh

Hh

Hh

une hachette

un hibou

une hirondelle

des harpes

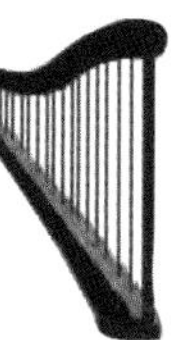

l'inondation

I i

I i

I i

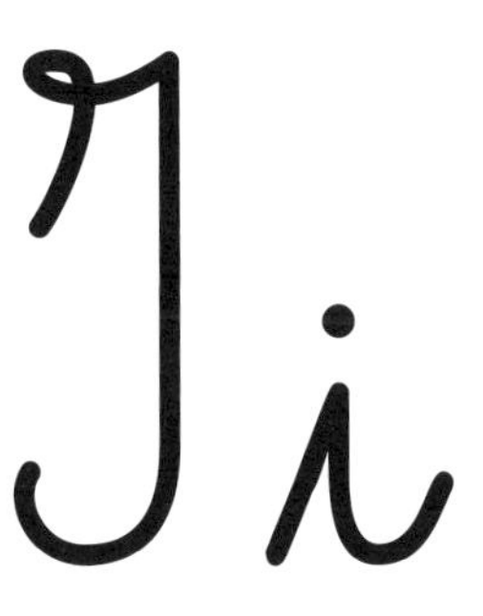

des iris

un indien

un if

les iris des marais

le jardinier
J j
J j
J j
des jetons
des jouets
une jupe
des jacinthes

un kilo

K k

K k

K k

un képi

un kimono

un kangourou

des kiwis

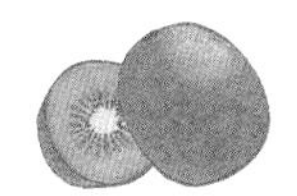
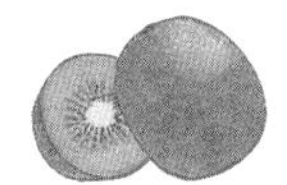
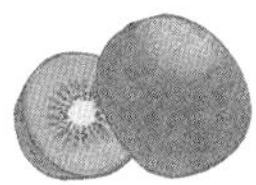
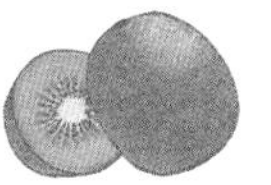

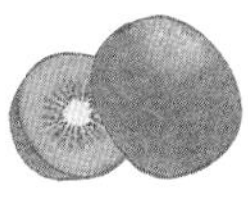
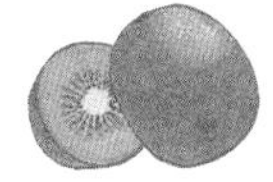

le lac

Ll

L l

L l

le loto

la lune

un lièvre

des libellules

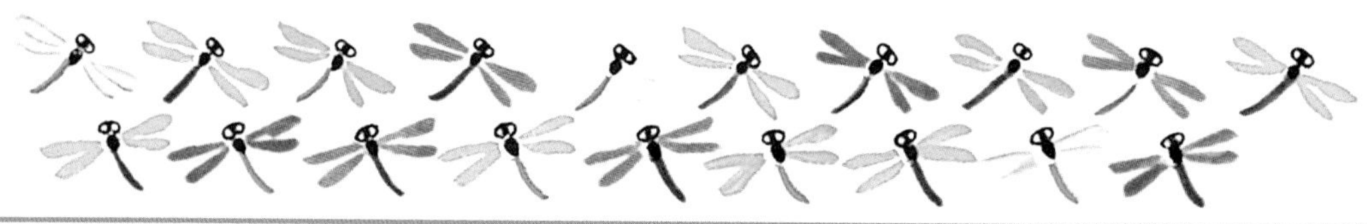

le marché

M m

M m

M m

une mandarine

un mouton

une montre

un melon

le muguet

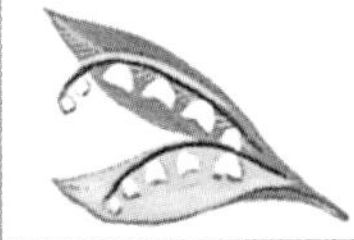   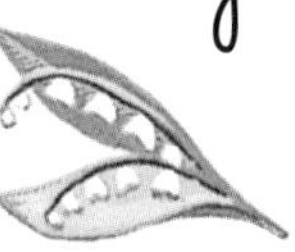 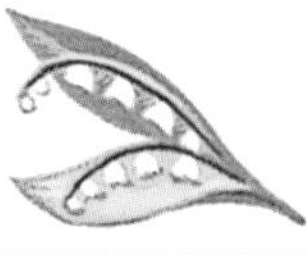 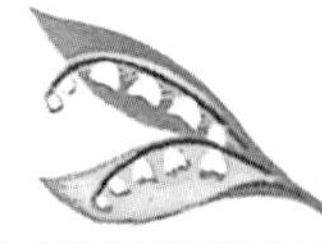

le noyer

Nn

Nn

Nn

un navire à vapeur

un nid

une niche

un nœud

des noix

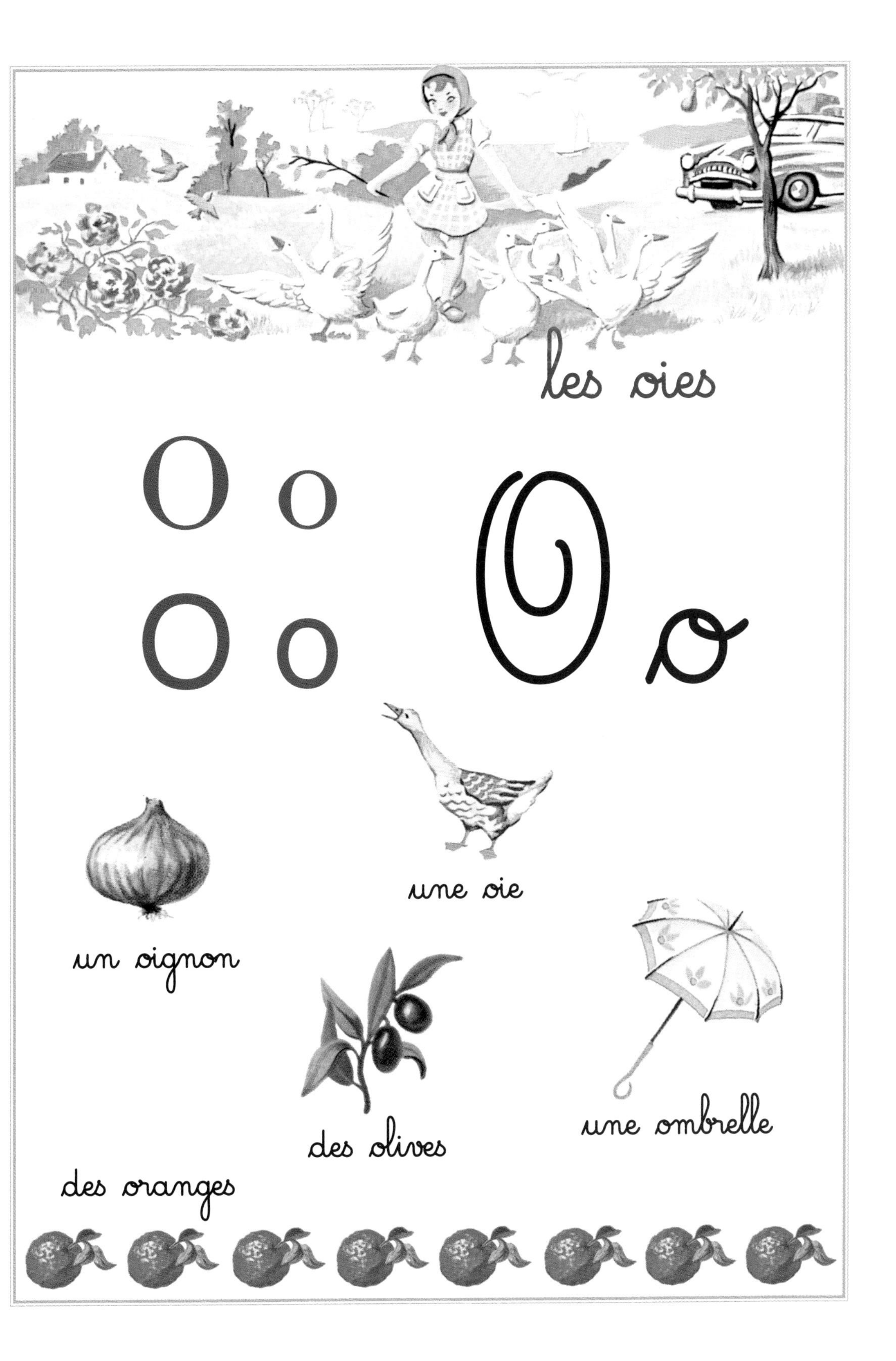
les oies
O o
O o
O o
une oie
un oignon
des olives
une ombrelle
des oranges

la plage

P p

P p

P p

un panier

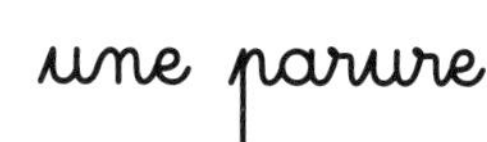

une parure

des pinsons

des pensées

le quartier

Qq Rr

Q q R r

une ratière

une ruche

une râpe

des rats

le sel

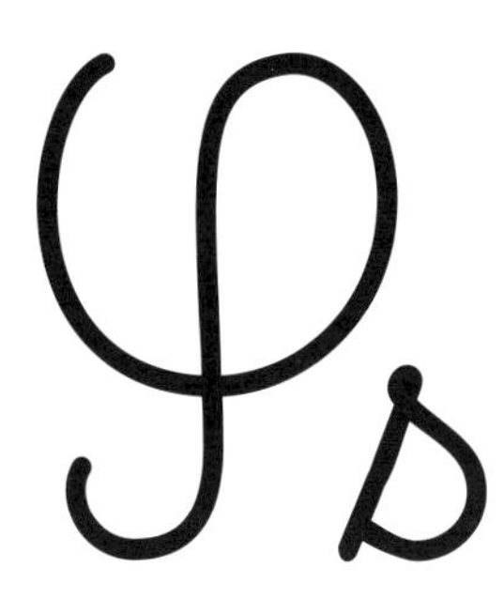

S s

S s

un sapin

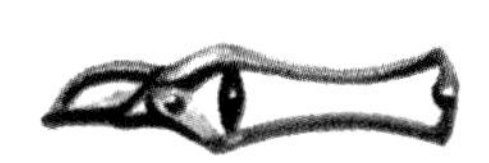

un sécateur

un sifflet

des sabots

la tente

T t

T t

une tasse

une tortue

une tourterelle

un tambour

des tulipes

la vigne

Uu Vv

U u V v

un uniforme

un verre

une vipère

des voiles

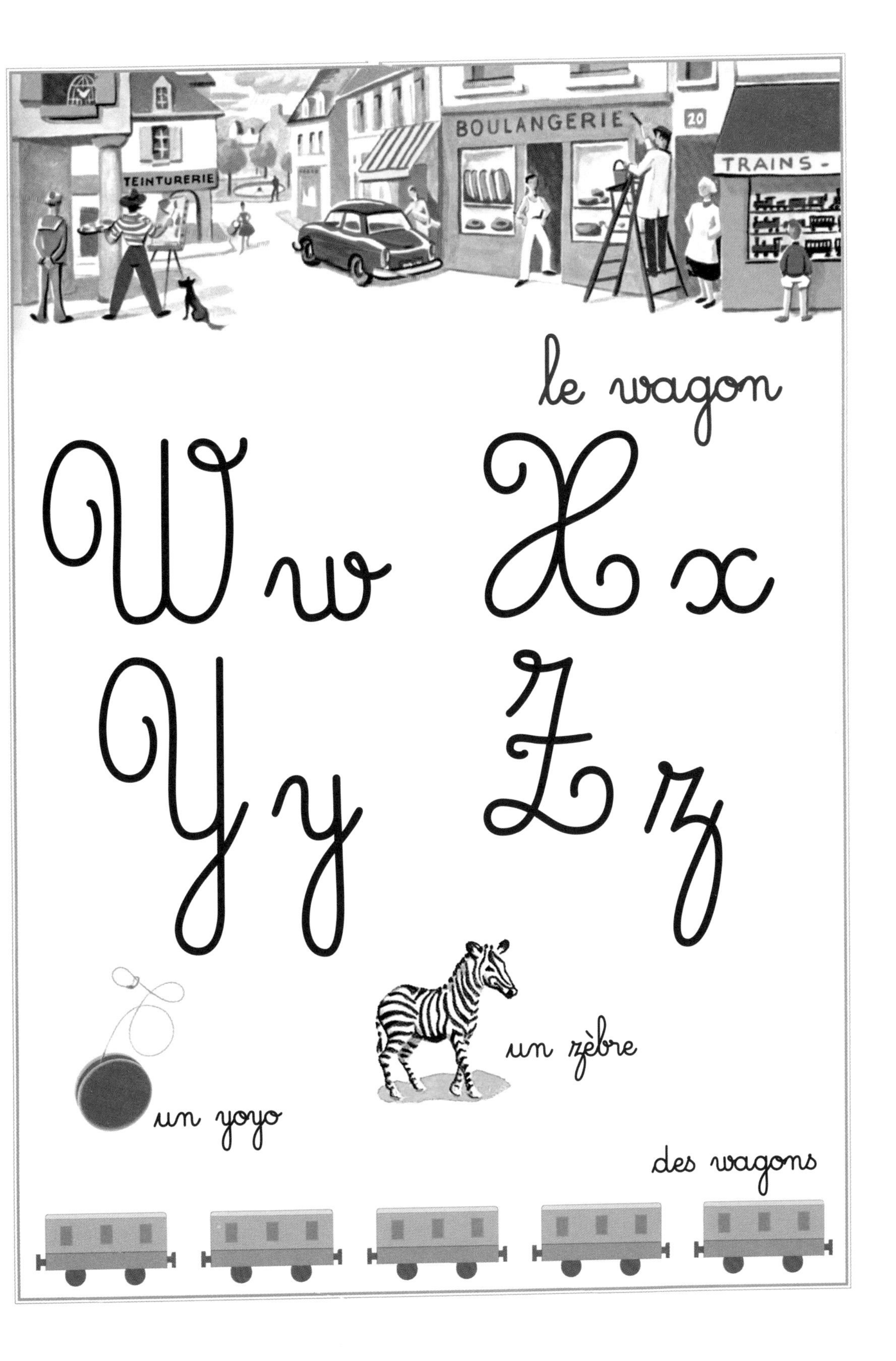
TEINTURERIE
BOULANGERIE
20
TRAINS -
le wagon
W w X x
Y y Z z
un zèbre
un yoyo
des wagons

la poule   le puits   le ballon

les poussins   le chien

des cerises — le nid — les pies

la pelote — l'âne

le coq

les lapins

le canard

les pommes

le chapeau

les tomates — l'avion — les sabots

le panier — la table 

la poussette les pots de confiture

la voiture le chat

la charrue les ballons

la balle les légumes 

la brouette la chèvre la cruch

le cadre la pintade

le panneau   le nœud   le moulin

la meule   les couettes

la jardinière la corbeille

la casquette la tortue le chardon

l'écureuil

la fourche

le pivert

la vache

l'if — la galette — le poulet rôti

le panier — la meule de foin

le raisin — le canif — l'ancre — le voilier — la charrette

la borne — l'encrier — la poire

les crayons de couleur — le motard

CHARCUTERIE

l'enveloppe
la remorque
la faucille
le réveil
la tente

le bulldog la hachette le maçon

le camion de pompier le pot de fleur

le phare
le muguet
le tambour
les champignons
la sandale

Imprimé en France par Pollina, 85400 Luçon
N° d'édition : 003926-08 - N° d'imprimeur : 48137
Dépôt légal : septembre 2008